$700
D1299356